Amb la Tango són tres

de Justin Richardson i Peter Parnell

il·lustrat per Henry Cole

Kalandraka

A la Gemma, J. R. i P. P.

Per a K. K., amb amor i admiració, H. C.

Títol original: *And Tango makes three*

Col·lecció llibres per a somniar®

Publicat d'acord amb Aladdin,
un segell editorial de Simon & Schuster Children's Publishing Division

Rúa de Pastor Díaz, 1, 4t. B. 36001 - Pontevedra
Tel.: 986 860 276
editora@kalandraka.com
www.kalandraka.com

Imprès a la Xina
Primera edició: juny, 2016
Tercera edició: abril, 2022
ISBN: 978-84-8464-986-1
DL: PO 17-2016

Un agraïment especial per a Eric Simonoff,
David Gale, Dan Potash, Rob Gramzay
i tots els nostres amics del zoo de Central Park. - J. R. i P. P.

Al cor de Nova York hi ha un parc enorme que es diu Central Park.
Als nens els encanta anar-hi a jugar. Hi ha un estany artificial
per fer-hi navegar vaixells de joguina, uns cavallets
per pujar-hi a l'estiu i una pista de gel per patinar-hi a l'hivern.

I el millor de tot és que també hi ha un zoo.
Cada dia famílies de tota mena hi van
a visitar els animals que hi viuen.

Però els nens i els seus pares no són
les úniques famílies que hi ha al zoo.
Els animals també tenen família.
A les famílies de pandes vermells,
les mares i els pares són peluts
i tenen cadellets de pelatge vermell.
Els pares i les mares mico
crien cadells molt
entremaliats.
Hi ha famílies de gripaus,
de tucans i de titís de cap de cotó.

I a la zona dels pingüins hi ha les famílies de pingüins.

Cada any, a la mateixa època, les pingüines es fixen en els pingüins.
I els pingüins es fixen en les pingüines.
Quan es troben un pingüí i una pingüina que s'agraden, es fan parella.

Hi havia dos pingüins de la zona dels pingüins que eren una mica diferents.
L'un es deia Roy i l'altre, Silo.
En Roy i en Silo eren mascles, tots dos. Però ho feien tot plegats.

Es feien reverències.

Passejaven junts.

Es cantaven cançonetes.

I nedaven plegats.

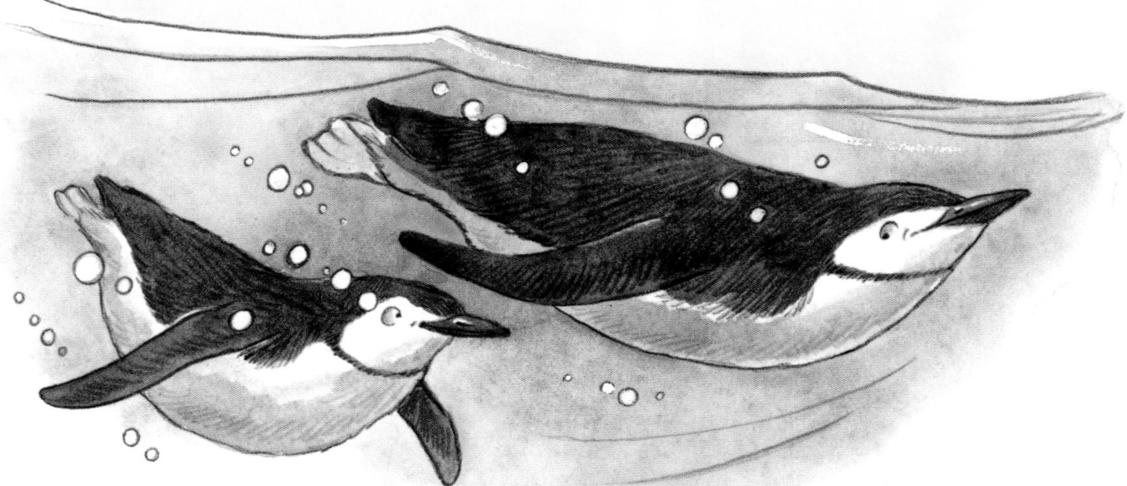

Allà on anés en Roy, en Silo el seguia.

No jugaven gaire amb les pingüines, i les pingüines tampoc no volien jugar gaire amb ells.
En Roy i en Silo es feien abraçades de pingüí. «Deuen estar enamorats»,
va pensar el senyor Gramzay, el cuidador, quan els va veure.

En Roy i en Silo es van fixar que els altres pingüins feien un niu amb pedres.
Així que ells també se'n van fer un.
Cada nit en Roy i en Silo dormien plegats, com totes les parelles de pingüins.

I cada matí en Roy i en Silo es despertaven plegats.
Però un dia en Roy i en Silo van veure que les altres parelles
feien una cosa que ells no podien fer.

La mare pingüina ponia un ou. I amb el pare pingüí feien torns per covar l'ou i tenir-lo ben calentó, fins que al final s'obria. I llavors en naixia un pingüinet.

En Roy i en Silo no tenien cap ou que poguessin covar.
No tenien cap pingüinet que poguessin alimentar i abraçar i estimar.
Tenien un niu molt bonic, però estava una mica buit.

Un dia, en Roy va trobar
una cosa que s'assemblava
al que covaven
els altres pingüins
i la va portar al niu.

Era una pedra, només,

però en Silo la va covar.

I la va covar...

I la va covar.

Quan a en Silo li venia son, dormia. I quan en Silo ja en tenia prou de dormir i de covar,
se n'anava a nedar i en Roy es posava a covar. En Silo i en Roy van covar la pedra dies i dies.

Però no passava res.

Un dia el senyor Gramzay va tenir una idea.

Va trobar un ou que no tenia qui el cuidés
i el va portar al niu d'en Roy i en Silo.

En Roy i en Silo sabien perfectament què havien de fer. Van col·locar l'ou al centre del niu. El giraven cada dia, perquè l'escalforeta se li repartís pertot arreu. Hi havia dies que en Roy covava i en Silo anava a buscar menjar. Altres dies, li tocava a en Silo cuidar l'ou.

El van covar de dia i el van covar de nit.
El van covar a l'hora de dinar i a l'hora de nedar i a l'hora de sopar.

El van covar a principi de mes i a final de mes,
i el van covar també tota la resta de dies.

Fins que van sentir un sorollet que venia de l'ou.

Piu, piu, piu, piu, feia.

En Roy i en Silo li van respondre. **Cuaaac, cuaaac!**

Piu, piu, hi va tornar l'ou.

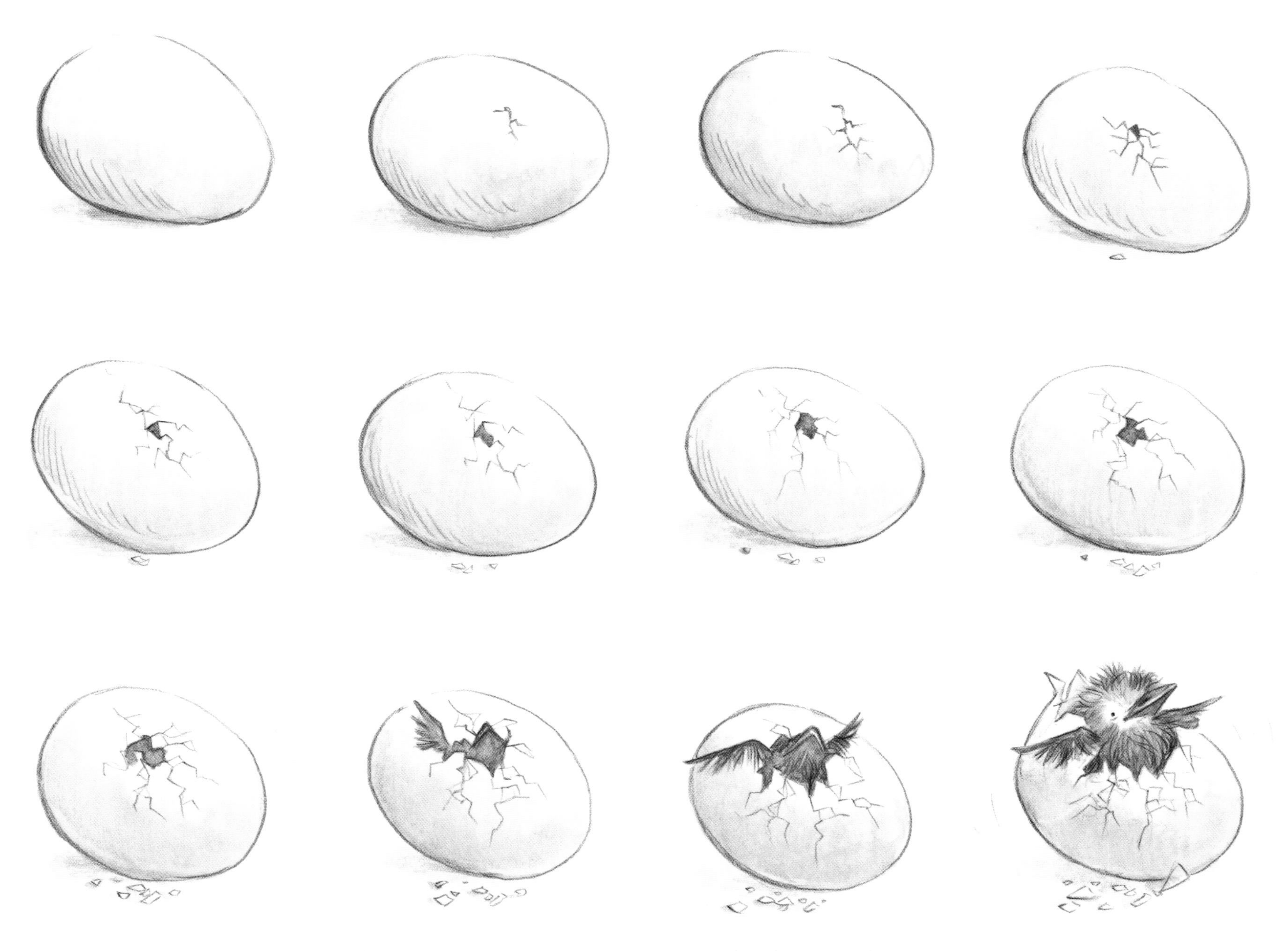

Va aparèixer un foradet menut a la closca de l'ou.
I llavors...

CREEEC!

En va sortir la seva pingüineta! Tenia les plomes blanques i suaus i un bec negre molt divertit.

En Roy i en Silo ja eren pares.

«Li direm Tango», va decidir el senyor Gramzay, «perquè per ballar un tango cal que hi hagi dos ballarins».

En Roy i en Silo van ensenyar la Tango a avisar-los quan tenia gana.
La peixien amb el bec. L'acotxaven al niu als vespres.

La Tango era la primera pingüineta del zoo que tenia dos pares.

Molt aviat, la Tango va créixer prou i va poder sortir del niu. En Roy i en Silo se l'enduien a nedar, com totes les altres famílies de pingüins.

I tots els nens que anaven al zoo veien la Tango i els seus pares jugant a la zona dels pingüins amb els altres pingüinets.

-Molt bé, Roy!
-Bravo, Silo!
-Benvinguda, Tango!

Els animaven.

A la nit, els pingüins tornaven al seu niu.

Llavors s'arraulien plegats i, com tots els pingüins de la zona dels pingüins,
com tots els animals del zoo i com totes les famílies de la ciutat, es posaven a dormir.

NOTA DE L'AUTOR

Tot el que explica aquesta història és cert. En Roy i en Silo són el que se'n diu «pingüins de cara blanca», perquè tenen les plomes de la cara de color blanc. És curiós perquè també tenen una línia prima de plomes negres que fa que sembli que portin una tira que els aguanta el barret. Feia anys que vivien al zoo de Central Park però es van descobrir el 1998. Des de llavors són parella. La Tango, la seva única filla, va néixer de l'ou que havia post una altra parella, la Betty i en Porkey. Aquella parella sempre havia covat els seus ous, però mai no havien pogut cuidar-ne més d'un. L'any 2000, quan la Betty va pondre dos ous fèrtils, en Rob Gramzay va decidir donar-ne un a en Roy i en Silo perquè formessin una família.

Si aneu al zoo de Central Park, veureu la Tango i els seus pares jugant a l'aigua de la zona dels pingüins amb els seus amics, que es diuen Nipper, Squawk, Charlie, Wasabi i Piwi. Al zoo de Central Park hi ha 42 pingüins de cara blanca, i a tot el món n'hi ha més de deu milions.

Però de Tango només n'hi ha una.